© del texto | Rachel Chaundler 2007
© de las ilustraciones | Bernardo Carvalho 2007
© de esta edición | OQO Editora 2007

Alemaña 72 | 36162 PONTEVEDRA
Tfno. 986 109 270 | Fax 986 109 356
OQO@OQO.es | www.OQO.es

Diseño | Oqomania
Impresión | Tilgráfica

Primera edición | julio 2007
ISBN | 978.84.96788.42.8
DL | PO.334.07

*Para Bella.* **R.Ch.**

# RITA

Rachel Chaundler

Ilustraciones de **Bernardo Carvalho**

OQO EDITORA

Rita, la mariposa,
tiene alas rojas y brillantes
como el sol.

Vive en el bosque tropical,
que está lleno de peligros;
pero a ella nada la asusta…
¡ni siquiera los elefantes!

Las otras mariposas tienen miedo
a que los elefantes las aplasten
y los observan de lejos;
pero Rita es muy traviesa
y disfruta haciéndoles cosquillas con sus alas.

Los elefantes se enfadan:
sacuden las orejas,
levantan la trompa,
patalean…
¡pero nunca consiguen atraparla!

Una mañana,
los elefantes no aparecían
por ningún lado.

– **Estarán bañándose**
-dijo Rita-.
**¡Vamos al río!**

– ¡**No!** -gritaron sus amigas-.
**LAS MARIPOSAS QUE VAN AL RÍO
ACABAN PERDIDAS.**

Intentaron convencerla
para que se quedara jugando entre las flores,
pero Rita era muy atrevida y…
*arriba-abajo,*
*arriba-abajo,*
*arriba-abajo…*
¡se fue volando hasta el río!

Rita fue como una flecha
hacia los elefantes,
que chapoteaban en el agua.

Las otras mariposas la siguieron de lejos.

Desde las rocas vigilaban preocupadas.

De pronto...

# ¡PLAS!

Un elefante grandullón
casi la aplasta de un empujón.

# ¡ZAS!

Otro elefante, malhumorado,
casi la estruja con el rabo.

**– ¡Cuidado, Rita!**
-gritaban sus amigas
con mucho miedo.

Rita, asustada, se alejó de la orilla
y empezó a sentirse cansada.

Quiso volver, pero sus alas se movían…
*arriba-abajo,*
*arriba-abajo,*
*a r r i b a - a b a j o …*

¡cada vez más despacio!

De repente, dejó de moverse.

Las otras mariposas
se taparon los ojos.
Rita cayó en picado…
y empezó a flotar, río abajo, gritando:

¡SOcOOorrOo...!

¡Nadie podía ayudarla!

Entonces, un elefante pequeñito pero de gran corazón,
al ver sus alas rojas brillando en el agua,
sumergió la trompa
y aspiro y aspiró…

Rita tomó aire
y cerró los ojos,
muerta de miedo.

Cuando los abrió,
todo estaba húmedo y oscuro.

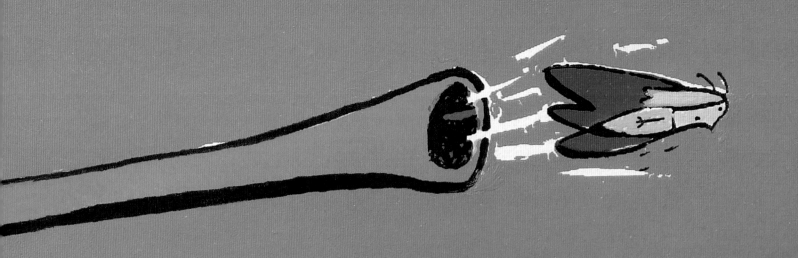

Al momento,
el elefantito levantó la trompa,
resopló y resopló…
y apareció en el cielo un destello brillante…

¡Era Rita!

De golpe, aterrizó en las rocas.

Estaba un poco asustada,
pero sana y salva.

Con mucho cuidado,
las otras mariposas le escurrieron las alas
y la llevaron a casa.

Su mamá
le dio la flor más dulce del bosque
y Rita durmió durante tres días.

Desde entonces,
no volvió al río.

Y en los días de mucho calor,
en vez de hacerles cosquillas,
Rita revolotea entre los elefantes
y los abanica con sus hermosas alas rojas.